# Photos et légendes de la Tapisserie de Bayeux

# Photos and captions of Bayeux Tapestry

# Fotos und Erläuterungen von Der Teppich von Bayeux

# Fotografie e legende dell'Arazzo di Bayeux

# Foto's en legendes van Het tapijt van Bayeux

# Fotografier og tekster af Bayeux-tapetet

## Collection Ville de Bayeux

Éditions Artaud Frères
4, rue de la Métallurgie
44470 CARQUEFOU  (FRANCE) - Tél. 02 40 30 26 56
www.editionsartaud.fr
ISBN 978-2-914223-61-4

20114047-001

La Tapisserie de Bayeux, chef-d'œuvre unique au monde, est un document réalisé au XIe siècle. Il s'agit en fait d'une broderie exécutée sur toile de lin avec des laines de couleurs variées. Sur plus de 70 m de long et 50 cm de haut, elle retrace l'histoire de la Conquête de l'Angleterre par Guillaume, Duc de Normandie, puis Roi d'Angleterre.

La Tapisserie a été exécutée peu de temps après la conquête de l'Angleterre par Guillaume de Normandie en 1066, sans doute dans les années 1070-1080. Elle est certainement due à un atelier anglais, probablement du Comté de Kent. Selon toute vraisemblance, elle a été commandée et payée par l'évêque de Bayeux Odon de Conteville, demi-frère de Guillaume le Conquérant.

Vous découvrirez à travers ce livre, fait de photos et légendes, l'intégralité de la Tapisserie.

---

The Bayeux Tapestry, a masterpiece unique in the world, is an historical document created in the 11th century. It is actually an embroidery on linen cloth using a variety of coloured wools. Covering more than 70 metres in length and 50 cm high, it depicts the story of the Conquest of England by William, Duke of Normandy, later King of England.

The Tapestry was made not long after William of Normandy conquered England in 1066, probably between 1070 and 1080. It was almost certainly entrusted to an English workshop, probably in Kent. It is thought to have been commissioned and paid for by Odon de Conteville, Bishop of Bayeux and William the Conqueror's half-brother.

This book of photographs and captions contains a complete reproduction of the Tapestry.

---

Der Wandteppich von Bayeux, ein weltweit einzigartiges Meisterwerk, stammt aus dem 11. Jahrhundert. Eigentlich ist dieses Dokument eine mit bunten Wollfäden bestickte Leinwand. Auf über 70 m Länge und 50 cm Höhe wird hierauf die Geschichte von der Eroberung Englands durch Wilhelm, den Herzog der Normandie und späteren König Englands, erzählt.

Der Teppich entstand kurz nach der Eroberung Englands durch Wilhelm der Normandie 1066 wahrscheinlich in den Jahren 1070 - 1080. Gefertigt wurde er mit ziemlicher Sicherheit in einer englischen Werkstatt, und zwar wahrscheinlich in der Grafschaft Kent. Man geht davon aus, dass er von Odon de Conteville, dem Halbbruder Wilhelm des Eroberers und Bischof von Bayeux, in Auftrag gegeben wurde.

In diesem Buch erfahren Sie aus den Fotos und Erläuterungen alles über diesen Teppich.

L'arazzo di Bayeux, capolavoro unico al mondo, è un documento realizzato nell'XI secolo. Si tratta in realtà di un ricamo ad ago eseguito su tela di lino con lana di colori diversi. Suddiviso in una serie di pannelli di una lunghezza totale di settanta metri per un'altezza di cinquanta centimetri, traccia la storia della conquista dell'Inghilterra di Guglielmo, duca di Normandia, poi Re d'Inghilterra.

L'arazzo è stato realizzato poco dopo la conquista dell'Inghilterra da parte di Guglielmo di Normandia nel 1066, senza dubbio negli anni 1070-1080. Probabilmente ricamato in un laboratorio nella contea inglese del Kent. Sembra che sia stato ordinato e pagato dal vescovo Odone di Bayeux di Conteville, fratellastro di Guglielmo il Conquistatore.

In questo libro, grazie a fotografie e legende, scoprirete l'intero arazzo.

Het Tapijt van Bayeux is een meesterwerk, uniek in de wereld, en gerealiseerd in de 11e eeuw. Het is in feite een borduurwerk op linnen met verschillende kleuren draad. Dit werk, dat meer dan 70 m lang en 50 cm breed is, beeldt de geschiedenis van de Verovering van Engeland door Willem, hertog van Normandië en later koning van Engeland, uit.

Het Tapijt is kort na de verovering van Engeland door Willem van Normandië in 1066 gemaakt, ongetwijfeld tussen 1070 en 1080. Hoogstwaarschijnlijk komt het uit een Engels atelier, vermoedelijk van het graafschap Kent. Naar alle waarschijnlijkheid is het besteld en betaald door de bisschop van Bayeux, Odon de Conteville, halfbroer van Willem de Veroveraar.

Al bladerend door dit boek, vol foto's en legendes, komt u alles over het Tapijt te weten.

Bayeux-tapetet er et enestående mesterværk i verden fremstillet i det XI. århundrede. Det er et broderi udført på hørlærred med uldtråde i forskellige farver. Billedtæppet er lidt over 70 m langt og 50 cm bredt og skildrer hertug Vilhelm af Normandiets erobring af England, hvor han efterfølgende blev konge.

Tapetet blev fremstillet kort efter, at Vilhelm af Normandiet havde erobret England i 1066, formodentlig i årene 1070-1080. Det er sikkert syet på et engelsk værksted, muligvis i Kent. Efter al sandsynlighed blev det både bestilt og betalt af biskoppen af Bayeux, Odon de Conteville, som var Vilhelm erobrerens halvbror.

I denne bog gengives hele Bayeux-tapetet i fotografier med forklarende tekster.

EDWARD REX · VBI·hAROLD DVX·ANGLORVM

Le Roi Edouard le Confesseur charge Harold de se rendre en Normandie avertir le Duc Guillaume qu'il sera son successeur sur le trône d'Angleterre.

Edward the Confessor sends Harold to Normandy to inform Duke William that he is to succeed him on the English throne.

König Eduard der Bekenner erteilt Harald den Auftrag zur Fahrt in die Normandie, um Herzog Wilhelm zu verkünden, dass er ihm auf dem englischen Thron nachfolgen soll.

Il Re Edoardo il Confessore incarica Aroldo di recarsi in Normandia per avvisare il cugino, il duca Guglielmo, che, in mancanza di un erede diretto, verrà nominato successore.

Koning Eduard de Belijder geeft Harold opdracht naar Normandië te gaan om daar hertog Willem te gaan vertellen dat hij de Engelse troonopvolger is.

Kong Edward Bekenderen pålægger Harald at rejse til Normandiet for at underrette hertug Vilhelm om, at han skal være Englands tronfølger.

ET SVI MILITES EQVITANT AD BOSHAM ECCLESIA

Précédé de sa meute, Harold s'achemine aussitôt vers la côte. A l'église de Boscham, Harold et son écuyer prient pour obtenir du ciel une heureuse traversée.

Harold starts immediately for the coast, preceded by his pack of hounds. At Bosham church, Harold and his equerry pray for Heaven's blessing on his journey.

Mit seiner Hundemeute voran macht sich Harald sofort auf den Weg an die Küste. In der Kirche in Boscham beten Harald und sein Knappe um himmlischen Beistand für die Überfahrt.

Preceduto dalla sua muta, Aroldo si incammina verso la costa. Nella chiesa di Boscham, Aroldo e il suo scudiero pregano per una buona traversata.

Vooraf gegaan door zijn meute gaat Harold op weg naar de kust. Bij de kerk van Bosham bidden Harold en zijn stalmeester voor een voorspoedige overtocht.

Harald drager straks af sted mod kysten med sit følge foran sig. Ved kirken i Boscham beder Harald og hans rytter for at få en lykkelig overfart.

HIC HAROLD MARE NAVIGAVIT ET

Dernier repas à terre. Embarquement d'Harold. Ils avancent jambes nues dans les premières vagues de la marée montante.

Ultimo pasto aspettando l'imbarco. Imbarco di Aroldo. La compagnia avanza senza calzari fino alla nave, tra le prime onde della marea montante.

Last meal on land. Harold boards his ship. They walk bare-legged through the first waves of the rising tide.

Laatste maaltijd aan wal. Harold gaat aan boord. Ze bewegen zich op blote voeten voort door de eerste golven van het opkomende tij.

Das letzte Mahl an Land. Harald geht an Bord. Sie schreiten mit nackten Beinen durch die anrollenden Wogen der ansteigenden Flut.

Det sidste måltid på land. Harald går om bord på skibet. Harald og hans ledsagere går med bare ben gennem de første bølger af det stigende vand.

...LIS:VENTO:PLENIS VE=NIT:INTE RR A: VVIDONIS COMITIS

Les voiles gonflées par le vent, les vaisseaux sont poussés vers les côtes de Picardie.

Con le vele gonfie, la nave va alla deriva, scagliata sulle coste di Picardia.

The sails fill with wind and the ships are driven towards the coast of Picardy

De zeilen bollen op in de wind, de schepen worden naar de kusten van Picardië gestuwd.

Mit vollem Wind in den Segeln werden die Schiffe auf die Küste der Picardie zugetrieben.

Med vind i sejlene føres skibene mod Picardiets kyster.

HAROLD: hIC: APPREhENDIT: VVIDO: HAR

Malgré eux, les Anglais abordent le rivage. Les vaisseaux s'échouent sur les terres du Comte Guy de Ponthieu.

Despite their best efforts, the English land on the shore. The ships run aground on land belonging to Count Guy of Ponthieu.

Widerstrebend halten die Engländer auf die Küste zu. Die Schiffe stranden im Land des Grafen Guy de Ponthieu.

Loro malgrado, gli inglesi approdano sulla riva. Le imbarcazioni naufragano sulle terre del Conte Guido di Ponthieu.

Tegen hun wil in stranden de Engelsen op de oever. De schepen lopen vast op het land van graaf Guy van Ponthieu.

Mod deres vilje går englænderne i land. Skibene løber på land på grev Guy de Ponthieu jorde.

8

DVX: ET DVXIT EVM AD BELREM: ET IBI EVM: TEN

Le Comte Guy de Ponthieu ordonne à ses hommes de se saisir d'Harold.

Il Conte Guido di Ponthieu ordina ai suoi armigeri di impadronirsi di Aroldo.

Count Guy of Ponthieu orders his men to take Harold prisoner.

Graaf Guy van Ponthieu geeft zijn vazallen bevel Harold gevangen te nemen.

Graf Guy de Ponthieu befiehlt seinen Männern, Harald zu ergreifen.

Grev Guy de Ponthieu giver sine mænd ordre til at gribe Harald.

…EVM:TEN VIT: VBI·HARO LD: IV…

Le Comte Guy, faucon au poing, conduit Harold prisonnier à Beaurain. Harold et Guy entrent en pourparlers au sujet de la rançon.

Count Guy, falcon on his wrist, takes Harold to Beaurain as his prisoner. Harold and Guy start negotiating a ransom.

Graf Guy, mit einem Falken auf der Faust, bringt den gefangenen Harald nach Beaurain. Harald und Guy beginnen mit Unterredungen über das Lösegeld.

Il Conte Guido, con un falco alla mano, conduce Aroldo e i suoi uomini verso la prigione, a Beaurain. Aroldo e Guido discutono dell'entità del riscatto da esigere.

Graaf Guy, met een valk op zijn hand, leidt de gevangengenomen Harold mee naar Beaurain. Harold en Guy onderhandelen over de losprijs.

Med en falk i hånden fører grev Guy Harald til Beaurain som fange. Harald og Guy indleder forhandlinger om en løsesum.

Guillaume, avertit des événements, envoie des messagers vers le Comte de Ponthieu pour lui ordonner de relâcher Harold.

William, informed of events, sends messengers to the Count of Ponthieu, ordering him to release Harold.

Wilhelm, der über die Ereignisse unterrichtet worden ist, schickt Boten zum Grafen von Ponthieu, um ihm die Freilassung Haralds zu befehlen.

Guglielmo, avvertito degli eventi, invia due messaggeri al Conte di Ponthieu per ordinargli di rilasciare Aroldo.

Willem, die op de hoogte is gebracht van de gebeurtenissen, stuurt boodschappers naar de graaf van Ponthieu om hem te gelasten Harold vrij te laten.

Da Vilhelm hører om begivenhederne, sender han budbringere til greven af Ponthieu for at beordre ham til at løslade Harald.

11

II: DVCIS: VENERVNT: ADVVIDO ÑE

NVN TII

TVROLD

Deux cavaliers, cheveux au vent, armés de leurs lances, de leurs épées et de leurs boucliers se rendent à Beaurain.

Due cavalieri, con capelli al vento, armati con lance, spade e scudi si recano a Beaurain.

Two knights, hair flying in the wind, armed with lances, swords and shields, travel to Beaurain.

Twee ruiters, de wind in de haren en bewapend met lansen, degens en schilden, begeven zich naar Beaurain.

Zwei Männer begeben sich mit wehenden Haaren und mit Lanze, Schwert und Schild bewaffnet, nach Beaurain.

To ryttere med håret flyvende for vinden bevæbnet med spyd, sværd og skjold begiver sig til Beaurain.

Un messager d'Harold vient trouver Guillaume et lui expose la requête de son maître. Guillaume exige que le Comte de Ponthieu libère Harold. Il paiera lui-même la rançon.

A messenger from Harold comes to William to explain his master's request. William orders the Count of Ponthieu to release Harold. He pays the ransom himself.

Ein Bote Haralds sucht Wilhelm auf und legt ihm das Ansuchen seines Herrn dar. Wilhelm verlangt vom Grafen von Ponthieu die Freilassung Haralds. Er wird selber das Lösegeld zahlen.

Un messaggero di Aroldo si reca da Guglielmo e gli espone la richiesta del suo signore. Guglielmo esige che il Conte di Ponthieu liberi Aroldo. Pagherà il riscatto.

Een boodschapper van Harold bereikt Willem en zet hem het verzoek van zijn meester uiteen. Willem eist dat de graaf van Ponthieu Harold vrijlaat. Hij zal zelf de losprijs betalen.

En af Haralds budbringere kommer til Vilhelm og fremsætter sin herres forespørgsel for ham. Vilhelm kræver, at greven af Ponthieu frigiver Harald. Han vil selv løskøbe ham.

HIC: WIDO: AD DVXIT HAROLDVM ADVVILGELM VM: NORMANN

Guy conduit Harold vers Guillaume.

Guido conduce Aroldo da Guglielmo.

Guy takes Harold to William.

Guy neemt Harold mee naar Willem.

Guy bringt Harald zu Wilhelm.

Guy fører Harald til Vilhelm.

RVM : DVCEM

HIC : DVX : VVLGELM : (

Afin qu'aucun doute ne soit possible, il le désigne du doigt à Guillaume, venu à la tête d'une petite escorte.

Guido addita Aroldo a Guglielmo, venuto alla testa di una piccola scorta.

To eliminate any doubt, he is pointing him out to William, riding at the head of a small escort.

Om ervoor te zorgen dat er geen twijfel mogelijk is, wijst hij hem met de vinger aan voor Willem, die aan het hoofd van een klein escorte is gekomen.

Damit keine Zweifel aufkommen, zeigt er vor Wilhelm mit dem Finger auf ihn, wie er an der Spitze einer kleinen Eskorte voranreitet.

Vilhelm er ankommet som den første i en lille eskorte, og for at undgå enhver tvivl om, hvem Harald er, peger Guy på ham.

HIC·DVX·VVILGELM·CVM HAROLDO·VENIT·AD PALATIV SVV

Le Duc Guillaume, accompagné d'Harold, se rend à son palais.

Il Duca Guglielmo, accompagnato da Aroldo si reca al suo palazzo.

Duke William, accompanied by Harold, returns to his palace.

Hertog Willem gaat vergezeld van Harold naar zijn paleis.

Herzog Wilhelm kehrt in Begleitung von Harald zu seinem Palast zurück.

Grev Vilhelm ledsaget af Harald begiver sig hjem til sit palads.

Text within the tapestry image: UBI:UNUS:CLERICUS:ET: HIC:VVILLEM:DUX:ET E
ÆLFGYVA

Guillaume précise ses intentions au sujet de son accession au trône d'Angleterre et promet peut-être aussi en mariage l'aînée de ses filles, Aelfgyve, à Harold.

William explains his intentions regarding his succession to the English throne and also perhaps promises his eldest daughter, Aelfgyve, in marriage to Harold.

Wilhelm bekräftigt seine Absicht, den englischen Thron zu besteigen, und verspricht Harald wahrscheinlich auch die Hand seiner ältesten Tochter Aelfgyva

Guglielmo precisa le sue intenzioni sull'accesso al trono d'Inghilterra ad Aroldo e gli promette forse anche la mano della figlia maggiore, Elfia.

Willem maakt zijn intenties betreffende de troonopvolging van Engeland duidelijk en belooft tevens dat Harold misschien met Aelfgyve, zijn oudste dochter, mag trouwen.

Vilhelm præciserer sine hensigter om at bestige Englands trone og lover måske også Harald, at han kan gifte sig med den ældste af sine døtre Ælfgyva.

...CIVS:EIVS:VE NERVNT:AD MON TE MICHAELIS ET HIC:TRA...

Le Duc de Normandie ayant quelque différend à régler avec Conan, Duc de Bretagne, invite Harold à prendre part à cette expédition militaire.

Il Duca di Normandia, avendo qualche divergenza con Conan, Duca di Bretagna, invita Aroldo a partecipare a questa spedizione militare.

The Duke of Normandy has a dispute to settle with Conan, Duke of Brittany and he invites Harold to join the military expedition.

De hertog van Normandië die nog enkele geschillen met de hertog van Bretagne, Conan, heeft, nodigt Harold uit om deel te nemen aan deze militaire expeditie.

Den Herzog der Normandie entzweit ein Streit mit Conan, dem Herzog der Bretagne, und er lädt Harald ein, ihn auf diesem Feldzug zu begleiten.

Da hertugen af Normandiet er i konflikt med Conan, hertugen af Bretagne, inviterer han Harald til at tage del i et krigstogt.

SIERVNT · FLVMEN · COSNONIS · ET VENERVNT AD DOL · ET CONAN ·

IC · HAROLD · DVX · TRAHEBAT · EOS ·

DE ARENA

A hauteur du Mont Saint-Michel, ils traversent la rivière du Couesnon où hommes et chevaux s'enfoncent dans les sables mouvants. L'armée normande avance vers Dol.

By Mont Saint-Michel, they cross the Couesnon River where men and horses sink into the quicksand. The Norman army advances on Dol.

Beim Mont Saint-Michel durchqueren sie den Fluss Couesnon, wo Männer und Rösser in Treibsand geraten. Die normannischen Streitkräfte rücken auf Dol vor.

All'altezza del Mont Saint-Michel, attraversano il fiume Couesnon dove uomini e cavalli affondano nelle sabbie mobili. L'esercito normanno avanza verso Dol.

Ter hoogte van de Mont Saint-Michel steken ze de rivier de Couesnon over. Mannen en paarden zakken weg in het drijfzand. Het Normandische leger rukt op naar Dol.

Da de er nået til Mont Saint-Michel, skal de over floden Couesnon, hvor mænd og heste synker ned i kviksand. Den normanniske hær bevæger sig mod Dol.

> DOL : ET CONAN : FVGA VER TIT : RED

Le Duc Conan doit s'enfuir et gagne Rennes où les normands le rejoignent.

Il Duca Conan deve scappare e raggiunge Rennes, dove i normanni lo raggiungono.

Duke Conan is forced to flee and reaches Rennes where the Normans meet him.

Hertog Conan moet vluchten en bereikt Rennes waar de Normandiërs hem inhalen.

Herzog Conan muss flüchten und zieht sich nach Rennes zurück, wo die Normannen auf ihn treffen.

Hertug Conan er nødt til at flygte og når til Rennes, hvor normannerne efterfølgende indhenter ham.

hIC MILITES VVILLELMI:DVCIS:PVG NANT:CONTRA NES

Attaque de Dinan.

Attacco di Dinan.

Attack on Dinan

Aanval van Dinan.

Angriff auf Dinan.

Byen Dinan angribes.

Les soldats du Duc Guillaume mettent le feu à la ville. Le Duc de Bretagne capitule et remet les clefs de la ville de Dinan, au bout de sa lance, au Duc de Normandie.

Duke William's soldiers set the town on fire. The Duke of Brittany surrenders and hands over the keys of Dinan to the Duke of Normandy on the end of his lance.

Die Soldaten von Herzog Wilhelm brennen die Stadt nieder. Der Herzog der Bretagne kapituliert und übergibt dem Herzog der Normandie die Schlüssel der Stadt Dinan an der Spitze seiner Lanze.

I soldati del Duca Guglielmo danno fuoco alla città. Il Duca di Bretagna capitola e rimette le chiavi della città di Dinan sulla punta della sua lancia, al Duca di Normandia.

De soldaten van hertog Willem steken de stad in brand. De hertog van Bretagne capituleert en overhandigt de sleutels van de stad Dinan op de punt van zijn lans aan de hertog van Normandië

Hertug Vilhelms soldater sætter ild til byen. Hertugen af Bretagne overgiver sig og overrækker byen Dinans nøgler til hertugen af Normandiet på spidsen af et spyd.

HIC WILLELM EDM HAROLDO ARMA · HIC WILLELM VENIT BAGIAS

Guillaume donne les armes à Harold. Il est désormais compté au nombre des chevaliers normands. Ils se dirigent vers le château de Bayeux.

Gugllelmo dà le armi ad Aroldo. Verrà ora contato tra i cavalieri normanni. Si dirigono verso il castello di Bayeux.

William knights Harold. He is now a Norman knight. They return to the castle at Bayeux.

Willem geeft de wapens aan Harold. Hij hoort van nu af aan bij de Normandische ridders. Ze gaan in de richting van het kasteel van Bayeux.

Wilhelm gibt Harald Waffen. Er zählt nun zu den normannischen Rittern. Sie machen sich auf zum Schloss von Bayeux.

Vilhelm giver Harald fuld krigsudrustning som anerkendelse. Han hører nu til de normanniske riddere. De begiver sig til fæstningen i Bayeux.

UBI HAROLD:SACRAMENTUM:FECIT:✝ HIC HAROLD:DUX:✝
VVILLELMO DUCI:-

Sur deux reliquaires, Harold prête serment au Duc Guillaume.

Su due reliquari, Aroldo presta giuramento al Duca Guglielmo.

Harold swears an oath of loyalty to Duke William on two reliquaries.

Op twee reliquiaria legt Harold een eed af tegenover hertog Willem.

Harald schwört Herzog Wilhelm auf zwei Reliquienschreine Treue.

På to relikvieskrin aflægger Harald troskabsed til hertug Vilhelm.

REVERSVS : EST AĐANGLICAM:TERRAM : ET VENI

Harold prend la mer et retourne en Angleterre.

Aroldo si imbarca e torna in Inghilterra.

Harold puts to sea again and returns to England.

Harold kiest het ruime sop en keert terug naar Engeland.

Harald besteigt ein Schiff und kehrt nach England zurück.

Harald sejler hjem til England

ET VENIT:AD:EDVVARDV ... REGEM:- HIC PORTA ... TVR

Harold fait au Roi Edouard le récit de son voyage en Normandie.

Aroldo racconta al Re Edoardo il suo viaggio in Normandia.

Harold reports to Edward on his mission to Normandy.

Harold doet koning Eduard verslag van zijn reis naar Normandië.

Harald berichtet König Eduard von seiner Reise in die Normandie.

Harald fortæller kong Edward om sin rejse til Normandiet.

Le corps du Roi Edouard est porté à l'Eglise Saint-Pierre.

Il corpo del Re Edoardo viene portato alla Chiesa di San Pietro.

Edward's body is carried to St Peter's Church.

Het lichaam van koning Eduard wordt naar de Westminster Abbey gedragen.

König Eduard wird zur Kirche des Apostels St. Peter getragen.

Kong Edwards lig bæres til Sankt Peters Kirke.

HIC EADVVARDVS:REX
INLECTO:ALLOQVIT:FIDELES:
ETHIC DEFVNCTVS
EST

HIC DEDERVNT:HAROLDO:
CORONA REGIS

HIC R
REX:

Le Roi agonisant, entouré de ses fidèles, exprime ses dernières volontés. Deux serviteurs en présence d'un prêtre procèdent à l'ensevelissement.

Il Re in agonia, circondato dai fedeli, esprime le sue ultime volontà. In presenza di un prete, due servitori procedono alla sepoltura.

The dying King, surrounded by his loyal followers, expresses his last wishes. Two servants and a priest prepare him for burial.

De stervende koning, omgeven door zijn getrouwen, maakt zijn laatste wil kenbaar. Twee dienaren gaan in aanwezigheid van een priester over tot de graflegging.

Der sterbende König äußert im Kreise seiner Getreuen seinen letzten Willen. Zwei Diener hüllen ihn in Anwesenheit eines Priesters in ein Leichentuch.

Den døende konge med sine trofaste omkring sig giver sin sidste vilje til kende. To tjenere og en præst gravlægger kongen.

Text visible in the image: SIDET:HAROLD GLORVM: STIGANT ARCHI EPS · ISTI MIRANT STELLA · HAROLD

En dépit du serment prêté au Duc de Normandie, Harold accepte la couronne royale d'Angleterre et reçoit l'épée et le sceptre.

Nonostante il giuramento al Duca di Normandia, Aroldo accetta la corona del regno d'Inghilterra e riceve la spada e lo scettro.

Despite the oath he swore to the Duke of Normandy, Harold accepts the English crown and is given the orb and sceptre.

Ondanks de eed die hij heeft afgelegd tegenover de hertog van Normandië, accepteert Harold de troon van het Engelse koninkrijk en ontvangt de degen en de scepter.

Trotz des Eids, den Harald dem Herzog der Normandie geleistet hat, nimmt er die englische Königskrone an und erhält Szepter und Schwert.

På trods af den troskabsed, Harald har aflagt til hertugen af Normandiet, accepterer han den engelske kongekrone og modtager sværdet og scepteret.

HAROLD

HIC:NAVIS:ANGLI

L'apparition d'une comète est présage de malheur pour Harold. Des espions normands à bord d'un navire anglais sont partis avertir Guillaume de la trahison d'Harold.

The appearance of a comet is seen as a bad omen by Harold. Two Norman spies on an English ship go to inform William of Harold's treachery.

Die Erscheinung des Kometen verheißt Unglück für Harald. Normannische Spione machen sich an Bord eines englischen Schiffes auf den Weg, um Wilhelm vom Verrat Haralds zu berichten.

L'apparizione di una cometa è presagio di malasorte per Aroldo. Spie normanne a bordo di un battello inglese sono andate ad avvertire Guglielmo del tradimento di Aroldo.

De verschijning van een komeet is voor Harold een voorteken van ongeluk. Normandische spionnen aan boord van een Engels schip zijn op weg gegaan om Willem te berichten van het verraad van Harold.

En komet viser sig på himlen, og det varsler ulykke for Harald. Normanniske spioner er gået ombord på et engelsk skib for at underrette Vilhelm om Haralds forræderi.

Le Duc Guillaume donne l'ordre de construire des vaisseaux pour débarquer en Angleterre.

Il Duca Guglielmo ordina di costruire delle navi per sbarcare in Inghilterra.

Duke William orders a fleet to be built to invade England.

Hertog Willem geeft bevel schepen te bouwen om koers te zetten naar Engeland.

Herzog Wilhelm erteilt den Befehl, Schiffe zu bauen, um nach England überzusetzen.

Hertug Vilhelm giver ordre til at bygge skibe for at sejle til England.

Une activité intense règne sur les chantiers tout au long des côtes normandes.

Un'attività intensa regna sui cantieri delle coste normanne.

Intense activity reigns in shipyards all along the Normandy coast.

Er heerst een bedrijvige werkzaamheid op de scheepswerven langs de Normandische kust.

In den Werften entlang der normannischen Küste herrscht reger Betrieb.

Der hersker intens aktivitet på skibsbyggerierne langs den normanniske kyst.

HIC TRAHVNT NAVES AD MARE

Les navires sont mis à la mer.

Le navi sono tirate verso il mare.

The ships are launched.

De schepen gaan te water.

Die Schiffe werden zu Wasser gelassen.

Skibene søsættes.

Les armes et le vin sont portés à bord des navires.

Weapons and wine are loaded onto the ships.

Waffen und Wein werden an Bord gebracht.

A bordo delle navi, vengono portate le armi e il vino.

De wapens en wijn worden aan boord van de schepen gedragen.

Våben og vin bæres om bord.

+ HIC : VVILLELM : DVX INMAGNO : NAVIGIO :

Guillaume, à cheval, entouré des ses compagnons, se dirige vers les navires. Cavaliers et chevaux embarquent.

Guglielmo, a cavallo, circondato dai suoi uomini, si dirige verso le navi. Vengono imbarcati cavalieri e cavalli.

William, on horseback and surrounded by his followers, rides towards the ships. Knights and horses are embarked.

Willem, te paard en omgeven door zijn gezellen, begeeft zich naar de schepen. Ridders en paarden schepen in.

Hoch zu Ross und umringt von seinen Kameraden begibt sich Wilhelm zu den Schiffen. Reiter und Rösser gehen an Bord.

Vilhelm rider ned til skibene med sine ledsagere omkring sig. Ryttere og heste går om bord i skibene.

MAR E · TRAN · SIVH·

La flotte fait voiles vers l'Angleterre.

La flotta mette le vele verso l'Inghilterra.

The fleet sets sail for England.

De vloot zet koers naar Engeland.

Die Flotte setzt Segel mit Kurs auf England.

Flåden afsejler til England.

ET VENIT AD PEVENE SÆ :⁓

Le vaisseau ducal aborde à Pevensey.

La nave ducale approda a Pevensey.

The Duke's ship lands at Pevensey.

Het hertogelijk schip komt aan bij Pevensey.

Das Schiff des Herzogs legt in Pevensey an.

Hertugens skib lægger til land i Pevensey.

ℎIC EXEVNT:CABAℓℓI DENAVIBVS ·– ET ℎIC:M

Les hommes larguent les cordages et font descendre les chevaux des navires. Les vaisseaux s'entassent sur le rivage.

Gli uomini fanno scendere i cavalli dalle navi. Le navi attraccano alla riva.

The men let down the sails and disembark the horses. The ships are packed together on the shore.

De mannen laten de touwen vieren en laten de paarden van boord gaan. De schepen komen bij elkaar aan de oever.

Die Männer machen die Leinen fest und bringen die Pferde von Bord. Es legen immer mehr Schiffe am Ufer an.

Mændene lader sejlene falde og får hestene til at springe i land. Skibene hobes op på stranden.

ITES: FESTINA VERV NT: hESTINGA: VTCIBVM. RAPERENT

Les cavaliers se hâtent de gagner Hastings.

I cavalieri si affrettano per raggiungere Hastings.

The knights ride quickly for Hastings.

De ridders haasten zich naar Hastings.

Die Reiter machen sich eiligst auf den Weg nach Hastings.

Rytterne skynder sig til Hastings.

VR: HIC:EST:VVAD AR D: hIC:COQVI TVR:CARO

Wadard, le cavalier portant une lance et un bouclier, organise le ravitaillement.

Wadard, the knight holding a lance and a shield, organises the food preparation.

Wadard, der Ritter mit Lanze und Schild, organisiert die Verpflegung.

Wadard, il cavaliere che porta una lancia e uno scudo, organizza i rifornimenti.

Wadard, de ridder met een lans en een schild, zorgt voor de bevoorrading.

Wadard, rytteren med lance og skjold, organiserer provianteringen.

Les serviteurs de table présentent les volailles.

I servitori presentano le pietanze a base di carne.

The servants bring in the roasted fowl.

De tafelbedienden presenteren het gevogelte.

Die Diener tragen das Geflügel auf.

Tjenerne viser forskelligt fjerkræ.

ET HIC EPISCOPVS:CIBV:ET POTV: BENEDICIT: ODO:EPS: WILLELM: ROTBERT: ISTE IVSSIT: VTFO

Festin d'honneur de Guillaume, entouré de ses Barons et de l'Evêque Odon. Le Conseil suit immédiatement le repas.

Festino d'onore di Guglielmo, circondato dai suoi baroni e dal Vescovo Odon. Il Consiglio segue il festino.

William is at a banquet held in his honour, flanked by his barons and Bishop Odon. The Council sits immediately afterwards.

Feestmaal ter ere van Willem, omgeven door zijn baronnen en de bisschop Odon. De krijgsraad volgt direct na de maaltijd.

Festmahl Wilhelms im Kreise seiner Barone und mit Bischof Odon. Der Rat folgt unmittelbar auf das Mahl.

Festmåltid til ære for Vilhelm omgivet af sine baroner og biskop Odo. Der holdes råd lige efter måltidet.

RETVR:CASTELLVM:AT HESTENGA CEASTRA HIC:NVNTIATVM ES WILLELME DE HARO

Le Conseil ordonne d'édifier les fortifications d'un château au camp d'Hastings. Guillaume reçoit un éclaireur chargé de le renseigner sur les mouvements d'Harold.

The Council orders the building of a fortified camp at Hastings. William receives a scout charged with informing him of Harold's movements.

Der Rat ordnet die Errichtung einer Festung auf dem Feld von Hastings an. Wilhelm hört einen Späher an, der ihn über die Bewegungen Haralds aufklären soll.

Il Consiglio ordina di edificare una fortificazione innanzi al campo di Hastings. Guglielmo riceve un messaggero incaricato di informarlo sui movimenti di Aroldo.

De raad besluit een kasteel in de legerplaats Hastings te versterken. Willem ontvangt een verkenner met als taak hem op de hoogte te brengen van de bewegingen van Harold.

Rådet giver ordre til at opføre en fæstning i feltlejren ved Hastings. Vilhelm modtager en ordonnans, der bringer nyheder om Haralds bevægelser.

Une demeure, qui cache les mouvements de l'armée, est incendiée. Guillaume s'apprête au combat.

A house, which hides the army's movements, is burned down. William gets ready for battle.

Ein Haus, durch das die Bewegungen des Heeres verborgen werden, wird angezündet. Wilhelm bereitet sich für die Schlacht vor.

Viene appiccato fuoco ad un maniero che ostacola la visibilità. Guglielmo si prepara al combattimento.

Een woning die de bewegingen van het leger aan het oog onttrekt, wordt in brand gestoken. Willem maakt zich klaar voor de strijd.

Der sættes ild til et højt smukt hus, som skjuler hærens bevægelser. Vilhelm gør sig klar til kamp.

DE hESTENGA : ET·VENERVNT

L'armée sort de Hastings et marche contre le Roi Harold.

I soldati escono da Hastings e vanno a combattere contro il Re Aroldo.

The army leaves Hastings and marches to meet King Harold.

Het leger vertrekt vanuit Hastings en trekt ten strijde tegen koning Harold.

Das Heer verlässt Hastings und marschiert gegen König Harald.

Hæren drager ud af Hastings og marcherer mod kong Harald.

Les normands s'avancent par ordre de bataille.

I normanni avanzano schierati in ordine di battaglia.

The Normans advance in battle order.

De Normandiërs rukken op, klaar voor de strijd.

Die Normannen rücken in Schlachtaufstellung vor.

Normannerne rykker frem i kolonner ifølge slagordenen.

DVM:REGE: HIC: V VILLELM:DVX INTERROGAT:VITAL: ASIVI

Les éclaireurs informent Guillaume de la proximité de l'armée saxonne.

Le vedette informano Guglielmo che l'esercito sassone si avvicina.

The scouts inform William that the Saxon army is nearby.

Verkenners berichten Willem dat het Saksische leger zich in de nabijheid bevindt.

Aufklärer unterrichten Wilhelm über das herannahende Heer der Angelsachsen.

Budbringerne informerer Vilhelm om, at den saksiske hær er tæt på.

...DISSET... EXER CI TV HAROLDI ...ISTE...

Un guetteur saxon prévient Harold de l'approche de l'armée normande.

Una vedetta sassone avvisa Aroldo dell'arrivo dell'esercito normanno.

A Saxon lookout warns Harold of the approaching Norman army.

Een Saksische wachter waarschuwt Harold dat het Normandische leger nadert.

Ein angelsächsischer Späher warnt Harald vor den herannahenden normannischen Streitkräften.

En saksisk spejder oplyser Harald om, at den normanniske hær nærmer sig.

NVNTIAT:HA ROLDVM REGE DEEXER CITV WILLELMI DVCIS HIC WILLELM:DVX ALLOQV

De son côté le Duc Guillaume harangue ses soldats.

Il Duca Guglielmo incita con arte oratoria i suoi soldati, affinché si tengano pronti a combattere.

Duke William makes a speech to his soldiers.

Hertog Willem, van zijn kant, spreekt zijn soldaten toe.

Herzog Wilhelm schwört auf seiner Seite seine Mannen auf die Schlacht ein.

På sin side taler hertug Vilhelm til sine soldater.

...OQVI TVR SVIS MILITIBVS VT PREPARARENT SE VIRILITER

Les soldats sont préparés à combattre contre l'armée saxonne avec courage et discipline.

The soldiers are ready to fight the Saxon army with courage and discipline.

Die Männer werden aufgefordert, mutig und geordnet gegen die Angelsachsen zu kämpfen.

I soldati sono pronti a combattere contro l'esercito sassone con coraggio e disciplina.

De soldaten zijn klaar voor een moedige en gedisciplineerde strijd tegen het Saksische leger.

Soldaterne er forberedt på at kæmpe mod den saksiske hær med mod og disciplin.

ET SAPIENTER : EADPREALIVM :

L'armée ne se compose pas uniquement de Normands, elle compte des Bretons, des Manceaux, des Poitevins.

L'esercito non è composto soltanto da normanni, ma anche da bretoni, da abitanti di Le Mans e di Poitiers.

The army is not composed solely of Normans, there are men from Brittany, Mayenne and Poitou as well.

Het leger bestaat niet alleen uit Normandiërs, maar ook uit Bretons en inwoners van Le Mans en Poitiers.

Neben Normannen kämpfen auch Bretonen sowie Männer aus Maine und dem Poitevin.

Hæren består ikke udelukkende af normannere, men også bretonere og indbyggere fra le Mans og Poitiers.

CON RA AN GLORVM EXER ACI V

A l'arrière d'un rideau de cavaliers, les archers préparent l'attaque en masse de la cavalerie.

Dietro una schiera di cavalieri, gli arcieri preparano l'attacco in massa della cavalleria.

Behind a wall of knights, the archers prepare to attack the cavalry en masse.

Vanachter dekkingstroepen bereiden de schutters in groten getale de aanval voor.

Hinter einer Aufstellung von Reitern bereiten die Bogenschützen den massiven Angriff der berittenen Truppen vor.

Bag en skærmende række af ryttere forbereder bueskytterne deres omfattende angreb af rytteriet.

Les saxons s'abritent derrière leur mur de boucliers. L'infanterie saxonne, armée de javelots et de haches de bataille, forme une forteresse vivante.

I sassoni sono al riparo dietro il muro di scudi. La fanteria sassone, armata di giavellotti e di asce da guerra, forma una fortezza vivente.

The Saxons shelter behind their wall of shields. The Saxon infantry, armed with lances and battleaxes, forms a living fortress.

De Saksen zoeken beschutting achter hun muur van schilden. De Saksische infanterie, bewapend met speren en strijdbijlen, vormt een levende vesting.

Die Angelsachsen suchen Schutz hinter ihrer Schildmauer. Die angelsächsischen Fußtruppen, bewaffnet mit Speeren und Streitäxten, bilden eine lebende Festung.

Sakserne beskytter sig bag deres mur af skjolde. Det saksiske fodfolk bevæbnet med kastespyd og stridsøkser udgør en levende fæstning.

Les cavaliers normands encerclent un groupe de combattants saxons.

I cavalieri normanni circondano un gruppo di combattenti sassoni.

The Norman knights encircle a group of Saxon soldiers.

De Normandische ridders omsingelen een groep Saksische strijders.

Die normannischen Reiter umzingeln eine Gruppe angelsächsischer Kämpfer.

De normanniske ryttere omringer en gruppe saksiske krigere.

RVNT LEVVINE ET GYRÐ FRATRES HARO DI

Mort des frères du Roi Harold, Lewine et Gyrd.

Morte dei fratelli del Re Aroldo, Lewine e Gyrd.

Death of Harold's brothers, Lewine and Gyrd.

Dood van Lewine en Gyrd, de broers van koning Harold.

Tod von Leofwine und Gyrth, den Brüdern König Haralds.

Kond Haralds brødre Lewine og Gyrd dør.

La bataille fait rage.

La battaglia infuria.

The battle rages.

De strijd woedt.

Die Schlacht tobt.

Slaget raser.

ET FRANCI INPRELIO ... HIC ODO

Chevaux et cavaliers normands s'enchevêtrent dans le marais.

Cavalli e cavalieri normanni si impantanano nelle paludi.

Norman horses and knights become entangled in the marshes.

Normandische paarden en ridders raken verstrikt in het moeras.

Die normannischen Reiter und ihre Pferde geraten in den Sumpf.

Normanniske heste og ryttere forvilder sig ind i sumpområdet.

Latin inscription on tapestry: HIC ODO EPS BACULU TENENS CONFOR[TAT] HIC EST [D] WILE[M]

L'Evêque Odon, frère de Guillaume, encourage les combattants.

Il Vescovo Odon, fratello di Guglielmo, incoraggia i combattenti

Bishop Odon, William's brother, encourages the soldiers.

Bisschop Odon, de broer van Willem, moedigt de strijders aan.

Bischof Odon, der Bruder Wilhelms, spricht den Kämpfern Mut zu.

Biskop Odo, Vilhelms bror, sætter mod i krigerne.

Le Duc Guillaume, que l'on croyait mort, lève son casque et se fait reconnaitre par ses troupes. Les normands s'élancent au combat.

Il Duca Guglielmo, che si pensava fosse morto, spinge l'elmo all'indietro e si fa riconoscere dai suoi. I normanni prendono coraggio e tornano a combattere.

Duke William, to prove that his is not dead, lifts up his helmet to show himself to the troops. The Normans fight on.

Willem, van wie men dacht dat hij was gestorven, doet zijn helm af en toont zich aan zijn troepen. De Normandiërs storten zich in de strijd.

Der totgeglaubte Herzog Wilhelm öffnet seinen Helm und gibt sich seinen Mannen zu erkennen. Die Normannen stürzen sich in die Schlacht.

Hertug Vilhelm, som man troede var død, skubber hjelmen tilbage og giver sig til kende for sine tropper. Normannerne går i kamp igen med fornyet iver.

ET CECI DE ... RUNT QUI ERANT CUM ...

L'armée saxonne est défaite.

L'esercito sassone viene sconfitto.

The Saxon army is defeated.

Het Saksische leger is verslagen.

Die angelsächsischen Streitkräfte sind besiegt.

Den saksiske hær er slået.

Harold reçoit une flèche mortelle dans l'oeil et succombe.

Un freccia colpisce Aroldo all'occhio. Il re soccombe.

Harold dies after being shot in the eye by an arrow.

Harold krijgt een dodelijke pijl in het oog en bezwijkt.

Harald wird von einem tödlichen Pfeil ins Auge getroffen und fällt.

Harald rammes af en pil i øjet og dør.

hARO L D REX INTERFEC TVS EST ET

La mort d'Harold achève la déroute des saxons. Poursuivis par les cavaliers normands, les saxons fuient le champ de bataille.

La morte di Aroldo ha come conseguenza la rotta dei sassoni. Smettono di resistere ai cavalieri normanni e abbandonano il campo di battaglia.

With Harold's death, the Saxon rout is complete. Pursued by the Norman knights, the Saxons flee from the battlefield.

De dood van Harold is de genadeslag voor de ondergang van de Saksen. Achtervolgd door Normandische ridders ontvluchten de Saksen het slagveld.

Mit dem Tod Haralds werden die Angelsachsen endgültig in die Flucht geschlagen. Sie fliehen vom Schlachtfeld und werden von den normannischen Reitern verfolgt.

Med Haralds død afsluttes opløsningen af de saksiske tropper. De normanniske ryttere driver dem på flugt fra slagmarken.

Le 14 Octobre 1066, la bataille d'Hastings est remportée sur les saxons par le Duc Guillaume.

Il 14 ottobre 1066, il Duca Guglielmo è il vincitore della battaglia di Hastings.

14 October 1066 saw victory for Duke William over the Saxons at the Battle of Hastings.

Op 14 oktober 1066 wint hertog Willem de slag om Hastings van de Saksen.

Am 14. Oktober 1066 gewinnt Herzog Wilhelm die Schlacht von Hastings gegen die Angelsachsen.

Den 14. oktober 1066 vinder hertug Vilhelm over sakserne i slaget ved Hastings.

La lutte durera encore deux mois, marquée par la sanglante bataille de Douvres et la reddition de Londres.
C'est seulement le 25 décembre 1066 que le Duc Guillaume de Normandie sera couronné Roi d'Angleterre en l'Abbaye Saint-Pierre de Westminster.

The fighting would continue for another two months, marked by the bloody battle of Dover and the surrender of London.
It was not until 25 December 1066 that Duke William of Normandy would be crowned King of England in St Peter's Abbey in Westminster.

Die Kämpfe sollten noch zwei Monate weitergehen und in die blutige Schlacht von Dover sowie die Kapitulation von London münden.
Erst am 25. Dezember 1066 wurde Herzog Wilhelm der Normandie in der Westminster Abbey zum König von England gekrönt.

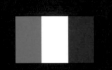

La lotta durerà ancora due mesi, segnata dalla sanguinosa battaglia di Dover e dalla liberazione di Londra.
Soltanto il 25 dicembre 1066 il Duca Guglielmo di Normandia verrà incoronato re d'Inghilterra nell'Abbazia San Pietro di Westminster.

De strijd zal nog twee maanden voortduren, gemerkt door de bloedige strijd om Dover en de capitulatie van Londen.
Pas op 25 december 1066 wordt hertog Willem van Normandië in de Westminster Abbey gekroond als koning van Engeland.

Kampen fortsætter to måneder mere og m keres af det blodige slag ved Dover Londons overgivelse.
Det er først den 25. december 1066, he Vilhelm af Normandiet bliver kronet Englands konge i Sankt Peters Kirker Westminster.